ex Libris
Carina Alves

Quase é o instante

QUASE É O INSTANTE
Autora: Carina Alves

Editor: Marcos Pamplona
Capa e paginação: Rute Valadares
Fotografia da capa: Tomoko Uji
Fotografias interior: Ceci Li e Wai Siew
Produção: Kotter Editorial

1ª Edição: Junho 2025
Kotter Brasil
ISBN: 9786553614505

Kotter Portugal
ISBN: 9789893623220
Depósito Legal: 548063/25

KOTTER EDITORIAL
kotterpt.com | @kotterportugal | kotterportugal@gmail.com

Dados Internacionais de Catalogação na Publicação (CIP)
Angélica Ilacqua CRB-8/7057

P958s
Alves, Carina
Quase é o instante / Carina Alves. -- Curitiba : Kotter editorial, 2025.
108 p.

ISBN 978-65-5361-450-5

1. Poesia brasileira I. Título

CDD B869.1

Kotter Editorial Ltda.
Rua das Cerejeiras, 194
CEP: 82700-510 - Curitiba - PR
Tel. + 55(41) 3585-5161
www.kotter.com.br | contato@kotter.com.br

Carina Alves

Quase é o instante

KOTTER
EDITORIAL

Ipês brancos florescem,
primavera em paz nasce,
brisa leve traz.

No vento sussurro,
teu nome ecoa em mim,
flor que não murcha.

Entre as palavras,
teu olhar me decifra,
verso sem fim.

Voa distante,
no jardim que já foi meu,
lembrança alada.

Ecoa a paz
no silêncio da cachoeira,
céu em oração.

Brilho no copo,
amargo doce na boca,
brinde ao agora.

Xícara ao lado,
ideias brotam no ar,
começo do dia.

Vinho na taça,
silêncio envolve o fim,
noite a brindar.

Na brecha do tempo,
um sopro de liberdade,
a vida respira.

Sol entre nuvens
dissipa a escuridão,
brilha no peito.

Nasce o sol de novo,
a flor rompe a terra fria,
sonho renasceu.

Tejo, água mansa,
barco desliza sereno,
canta o vento azul.

Cerrado em Chamas
vigia do alto da serra,
olhos de pedra.

Alma inquieta,
queima a terra,
enquanto o vento espalha

a dor secreta.

Fogo devora o capim,
árvores gritam
chamas ao vento.

O poeta sente
no peito a dor secreta,
cinzas no firmamento.

O Ipê amarelo
Desfolha-se em silêncio,
ouro em fuligem.

Rios que secam,
o solo é ausência,
vida suave vertigem.

Entre a dor do mundo,
sussurra seus versos:
o ciclo é profundo.

Mesmo na morte,
céu ferido,
um renascer contido.

A vida que insiste
rasga a terra,
cinza brota sem pressa.

A semente persiste,
os seixos nossos,
a natureza faz promessa.

Compreende o destino,
além da dor que estanca,
vida em brasas se levanta.

A palavra em desatino:
alto da montanha
arde em fogo e lamento.

A poeira vermelha
ergue e se espalha,
verde se perde no tempo.

O vento que sopra
traz versos antigos
de um poeta ferido.

Seu coração queimado,
grita magoado
a perder a alma.

O Ipê amarelo
desmaia sem flor,
as águas secam sem rio.

Amor que um dia foi vida
nas nuvens, ainda recita,
esperança renascida.

Em pranto e tristeza,
guarda na terra
a força escondida.

Água me abraça,
desliza calor,
teu olhar se faz presente.

O desejo é fervor:
no silêncio me entrego,
água corrente.

Toca meu corpo molhado:
cada gota
sabe do teu olhar.

Cúmplice mudo, nosso amor,
dança a vapor,
ao redor encantado.

Entre ilhas,
meu Rio respira
seu sal e suor.

O amor,
tão sensível e vasto,
se embaraça na maré.

Os milagres?
São correntezas invisíveis,
rasgando o tempo como mestre.

De cima,
o sonho é um voo;
de baixo,
raiz.

Sai e leva consigo o cheiro,
mas quem vai...
o som, o olhar, o encantamento.

O Rio não é lugar,
é travessia:
entre o céu e a carne.

É fácil viver a vida.
Vida, vida, ahh!
Difícil é vivê-la fácil.

Quando estamos cheios
em tempos vazios,
é a falta que nos preenche.

Rodeado de amigos
num dia azul
cheio de solidão.

Em abundância hoje,
escassez amanhã,
desaguo intensidade.

Meu coração chora.
Ele está só...
Tudo passa, ele está só.

Dor e solidão presentes,
latentes em mim.
Tudo se foi, é solidão.

Que sentido tu me fazes?
Que sentido te fazes?
Talvez tenhas mais sentido tu aí.

Com as cartas na mesa.
As cartas dizem:
chega Nove de Paus.

A vida se preenche.
A vida é viver,
é num piscar de olhos.

Entre o caos e o silêncio,
se expande, dobra o chão
onde o corpo repousa.

Escrito com músculos e alma,
dança o invisível,
onde a mente encontra sua calma.

O ar entra profundo,
leva às pressas
limites transmutados.

Aqui ou lá em Gaza,
estanca a dor
no confronto com o amor.

De madrugada
e a corda estava lá,
desatada em nós.

Um verso do mundo
em cada compasso,
sem dor, sem cansaço.

Voar é seguir o ritmo do coração,
mestre do momento.
Vida breve, sentimento.

Ecoa melodias atemporais
o guardião das matas, dono da voz,
carrega no canto o desconforto.

Pássaro valente, mestre do cantar,
seu peito estufa
entre galhos e sombras.

As asas que voam e o direito de ser.
Bicudo, em liberdade, serás sempre
[inteiro,
mensageiro do viver.

De canto faceiro
no voar da vida, leve no voo,
livre no vento, pousa ligeiro.

Pequenino guardião dos quintais,
canta sem pressa,
canta sem dor, sem cansaço.

Tico-tico, mestre do momento,
ensina que a vida é breve, é sentimento.
Voar é seguir o ritmo do coração.

Saudade que dói,
mas se alegra na espera,
nos lábios te antecipa o riso.

Era quase um sim, mas não foi…
um passo no abismo,
um verbo no fim.

Um sonho acordado,
o beijo roubado, eu tive
o que nunca se deu, fui eu.

Quase vento forte,
uma estrela caída
na palma da mão.

Quase fiquei, fui.
Quase é o instante
que não se desfaz.

É tudo e é nada,
um sempre breve
da sorte contida.

Guardiã de auroras,
teu abraço é casa onde a alma mora.
Amiga das estrelas e do coração.

Mulher,
és porto seguro, farol na imensidão.
acolhes o mundo, desfazes os fardos.

O canto
é cura, teu olhar é canção
que toca profunda, acalma a emoção.

Força que guia
nas horas escuras, és a oração,
a mão estendida.

Luciana, estrela que sempre reluz,
és caminho, és verdade,
amiga querida, alma de fé.

Pousa em mim a saudade.
Dias de felicidade
estampada no corpo despudorado.

Manhã que rasga o peito,
dia que entorpece a mente,
tempo cavado.

Sossega curumim,
serena explosão,
antes do anoitecer chegar.

Me chamo Carina,
não me suicidei
nem fui amiga de Fernando Pessoa.

Mora em mim
a vontade
de morar em você.

Flui silenciosa,
em cada gota, a vida,
dança preciosa.

Água forte
jorra e abraça
o desgosto.

Terra firme
acolhe a semente, mãe,
vida que brota.

Mais de 500 dias e 15 minutos
no breu do relógio,
o instante se prolonga.

Acordei tarde.
Vigiei.
Me perdi no caminho.

Acordei tarde,
olhei,
não descansei.

Acordei tarde.
As estradas já estavam cortadas.
Acordei tarde.

A luz já estava a brilhar.
Acordei tarde
e já era muito tarde.

Lua quase cheia.
A menina, quase
amanhã.

Vejo melhor
de olhos fechados
ao luar.

Reconstruo
abrigo nos versos:
alívio com beleza.

Que a palavra nos cure,
nos proteja.
nos deixe fortes.

Coração em chamas,
vento sopra a tempestade,
silêncio afoga.

Emoções em colapso,
vento dança sem rumo,
eco no vazio.

Tem cheiro de mar, chão quente,
brisa suave
sopra histórias de luta.

Areia dourada e fé
vêm gosto de paz,
passam ligeiros, deixam sinais.

Risos soltos, pés descalços,
abraços largos.
Ventos que embalam sonhos.

Em mim navegam segredos
que nos braços se vão,
a levar o coração.

Na brecha do tempo
um sopro de liberdade:
a vida inspira.

Por cima das águas
pairam sonhos
guiados pelo vento.

Lua minguante,
no céu rosado, acalma.
Sonhos distantes.